C000046883

Recuerdos de Nuestra Boda

A

Male y

EN EL DIA DE TU BODA

CON CARIÑO DE

Irma Oviedo

20 feb. 99

PEGA AQUI UNA DE LAS TARJETAS DE INVITACION

*El amor no es el sentimiento de un momento,
sino la decisión consciente para una forma de vida.*

ULRICH SCHAFFER

*¿Qué prometías cuando intercambiabas votos?
¿Prometías sentir amor romántico por
siempre? Es claro que los votos matrimoniales no
pueden basarse en algo tan fugaz como los
sentimientos, porque, como dijo C.S. Lewis, 'nadie
puede prometer continuar sintiendo de cierta
manera. Porque sería lo mismo que prometer que
nunca va a tener un dolor de cabeza, que siempre
va a sentir hambre'.*

*Entonces ¿qué estás prometiendo? Estás
pactando un amor que es más que un
sentimiento. Se mantiene por la voluntad. Tiene
que ver con acciones. Incluye cariño, apoyo y
atención del uno hacia el otro. Se trata de lealtad,
de compartir... Es cuestión de ayudarse el uno al
otro a ser lo mejor que podemos ser. Dios es amor,
y Su institución del matrimonio se caracteriza
por amor en acción.*

JOYCE HUGGETT

*Mejores son dos que uno; porque juntos
pueden trabajar más efectivamente.
Si uno de ellos cayere, el otro puede ayudarle a
levantarse.*

ECLESIASTES 4:9-10

NUESTRA CEREMONIA MATRIMONIAL

A labado sea Dios, que ha creado el noviazgo y el matrimonio, el gozo y la alegría, la celebración y la risa, el placer y el deleite, el amor, la hermandad, la paz y el compañerismo.

LIBRO DE CEREMONIAS METODISTA

Q ueremos hacer que nuestro matrimonio sea un éxito. Pero quizás necesitaremos alguna ayuda para poder vivir felizmente durante toda la vida. Por lo tanto, si el matrimonio es una dádiva tuya, te suplicamos, oh Dios, que nos muestres el camino que hemos de seguir, y que nos acompañes en nuestro viaje.

MARION STROUD

PEGA AQUI UNA DE LAS FOTOGRAFIAS
TOMADAS EN LA IGLESIA

PEGA AQUI EL PROGRAMA DE LA CEREMONIA O ESCRIBELO

EL
FESTEJO FAMILIAR

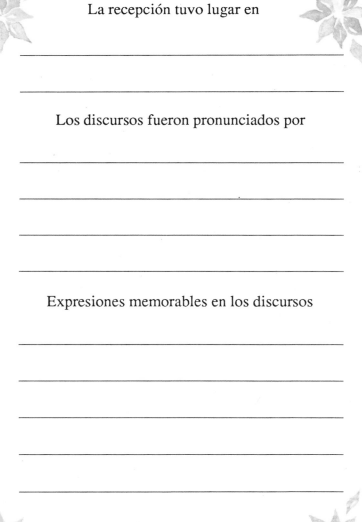

En Africa en algunos casos el cortejo nupcial danza, a veces por muchos kilómetros, desde la aldea de la novia hasta la del novio. No hay nada secreto en ello. Este acto público de la partida legaliza a la vez el matrimonio. Desde ese día en adelante todos lo saben: estos dos son esposo y esposa... Nunca el matrimonio es un asunto privado. No hay matrimonio sin boda. Por esta razón los matrimonios muchas veces se celebran con una gran fiesta.

WALTER TROBISCH

La recepción tuvo lugar en

_____

_____

Los discursos fueron pronunciados por

_____

_____

_____

_____

Expresiones memorables en los discursos

_____

_____

_____

_____

_____

EL MENU

PEGA UNA COPIA DEL MENU O ESCRIBELO

LOS INVITADOS
A LA BODA

Estuvieron presentes como testigos de nuestro
matrimonio y para celebrar con nosotros los
familiares y amigos siguientes:

PIDELE A LOS INVITADOS QUE FIRMEN ESTA PAGINA EN LA RECEPCION DE LA BODA

LA UNION DE
DOS FAMILIAS

Lágrimas de una madre

*Si lloro en este, el más especial de
   todos los días,
   son*
*Lágrimas de admiración por el
   maravilloso plan de Dios de crear
   un nuevo hogar de corazones
   amorosos*
*Lágrimas llenas de recuerdos del
   día que naciste, el gozo que
   trajiste a nuestra familia*
*Lágrimas de gozo porque hallaste
   al compañero de tu alma*
*Lágrimas de despedida, al cederte
   a tu acompañante*
*Lágrimas de oración del corazón
   que ruega que a través del viaje
   de la vida os traigáis el uno
   al otro grande gozo.*

SANDRA CARTER

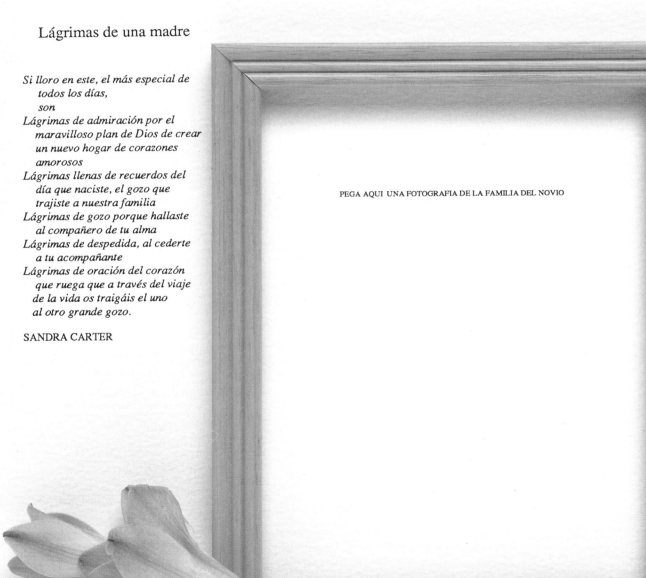

PEGA AQUI UNA FOTOGRAFIA DE LA FAMILIA DEL NOVIO

PEGA AQUI UNA FOTOGRAFIA DE LA FAMILIA DE LA NOVIA

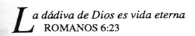

*L*a dádiva de Dios es vida eterna
ROMANOS 6:23

LOS REGALOS DE BODA

Nombre de la persona	Regalo que hizo	Se le envió carta de agradecimiento

Nombre de la persona	Regalo que hizo	Se le envió carta de agradecimiento

DESDE HOY EN ADELANTE

M atrimonio.... dos personas que regalan por completo sus vidas el uno al otro, como si se dieran recíprocamente la facultad ilimitada de crecer con ayuda mutua.

ROBERT RUNCIE,
OBISPO DE CANTERBURY

A unque éste sea el más humilde, ¡no hay lugar como el hogar!

JOIIN HOWARD PAYNE (1791-1852)

Nuestro primer hogar estuvo ubicado en

_____

_____

_____

_____

Nuestros primeros huéspedes fueron

_____

_____

_____

_____

Aniversarios

1 PAPEL	*2* ALGODON	*3* CUERO	*4* FRUTA	
5 MADERA	*6* HIERRO	*7* LANA	*8* BRONCE	
9 CERAMICA	*10* LATA	*11* ACERO	*12* SEDA	
13 ENCAJE	*14* MARFIL	*15* CRISTAL	*20* PORCELANA	*25* PLATA
30 PERLA	*35* CORAL	*40* RUBI	*45* SAFIRO	*50* ORO
60 PLATINO	*75* DIAMANTE			

El amor es muy paciente y amable,
nunca celoso o envidioso,
nunca jactancioso u orgulloso,
nunca altanero, egoísta o rudo.
El amor no impone su propia voluntad.
No es irritable o quisquilloso.
No abriga resentimientos, y cuando otros
proceden mal apenas lo tomará en cuenta.
Nunca se alegra de la injusticia,
sino que se regocija siempre que triunfa la verdad.
Si amas a alguien
le serás leal a toda costa.
Siempre le creerás,
siempre esperarás lo mejor de él,
y siempre estarás dispuesto a defenderle...
El amor continúa para siempre.

1 CORINTIOS 13:4-8